viaje por
Colombia

a journey through Colombia · un voyage à travers la Colombie

SOMOS
EDITORES

Colombia
El país de la diversidad

El nombre de Colombia genera toda clase de asociaciones, pero la que mejor la define es la diversidad, presente en la vida y la geografía del país. Es diversa su topografía que va desde los valles de los grandes ríos hasta las montañas de cerca de 5.800 metros de altura, de los llanos selváticos del Amazonas y el Orinoco a las playas blancas y coralinas del Caribe o los vastos litorales que deja la marea del Pacífico.

La diversidad abarca todos los climas. En pocas horas el visitante puede pasar del frío al calor o del desierto a las cumbres nevadas y maravillarse con el cambiante paisaje y con la flora y la fauna propias de cada zona. Colombia ocupa el tercer lugar en especies vivas y el segundo en aves y posee el mayor número de especies de anfibios; y tiene más de 130.000 especies de plantas clasificadas, la mitad de ellas endémicas, y más de 500.000 de flores.

Colombia cuenta con ciudades modernas y cosmopolitas y poblados pequeños y tranquilos, de casas coloniales y vida sosegada, que son un oasis para el descanso. A ello se suman una rica gastronomía que surge de mil productos agrícolas y pecuarios de cada región. Y primordialmente están los colombianos, gente de todas las razas y culturas y siempre cálidos y hospitalarios.

Este libro propone al lector un viaje figurado por ese vasto horizonte de Colombia, considerado uno de los países de mayores recursos turísticos del subcontinente. Lo aquí publicado es sólo un abreboca de lo que el visitante podrá encontrar.

Colombia
A Land Full of Diversity

When Colombia is mentioned, it conjures up all sorts of associations in people's minds, but what defines it best is diversity, for diversity is ever-present in the country's life and geography. The terrain is diverse, since it ranges from the valleys of the great rivers to mountains that are nearly 5,800 metres high, from the jungles of the Amazon and Orinoco plains to the white-sand and coral beaches of the Caribbean or the vast tidal lowlands of the Pacific coast.

Diversity extends to a whole range of climates. In just a few hours, a visitor can go from cold to hot country or from burning desert to snow-capped peaks, and can marvel at the changing scenery and the typical flora and fauna of each different zone. Colombia is home to the third highest number of living species and the second highest number of birds, and it boasts the greatest quantity of amphibians. Moreover, over 130,000 plant species have been classified, half of them endemic, not to mention more than 500,000 species of flower.

Colombia is a country of modern, cosmopolitan cities and small, peaceful villages with colonial-era houses where life goes on in a relaxed, leisurely manner. To this should be added a fine cuisine, resulting from the large quantities of agricultural and farming produce from each region. But first and foremost come the Colombian people, a mixture of all races and cultures yet who are always friendly and welcoming.

This book sets out to take the reader on a journey through the vast land that is Colombia, a country which is considered to offer some of the best tourist facilities in the subcontinent and which is readily accessible from most of them. What he will find here is no more than an appetizer, a taste of what he will find in this beautiful, diverse country.

Colombie
Le pays de la diversité

Parler de la Colombie, c´est s´ouvrir un monde de superlatifs. Mais le terme qui la qualifie le mieux, c´est la diversité, omniprésente dans la vie et la géographie de ce pays. Sa topographie variée va des vallées de fleuves majestueux aux montagnes culminant à près de 5800 mètres d´altitude, des forêts de l´Amazonie et de l´Orénoque aux plages blanches et aux barrières de corail des Caraïbes ou aux vastes littoraux qui se découvrent au gré des marées du Pacifique.

Cette diversité comprend tous les climats. En quelques heures, le visiteur peut passer du chaud au froid, du désert aux sommets enneigés et s´émerveiller des changements de paysages, de la faune et de la flore propres à chaque région. La Colombie occupe la troisième place pour la diversité des espèces vivantes, la deuxième pour les oiseaux et possède la plus importante variété d´espèces d´amphibiens; elle compte plus de 130 000 espèces de plantes recensées, dont la moitié endémiques et plus de 500 000 fleurs.

La Colombie offre des villes modernes et cosmopolites mais aussi des petits villages tranquilles, aux maisons coloniales et à la vie paisible, qui forment des oasis propices au repos. Il faut ajouter à tout cela une gastronomie variée issue de la multitude des produits agricoles et d´élevage de chaque région. Et ce sans oublier les colombiens, des gens de races et de cultures diverses, toujours chaleureux et accueillants.

Ce livre propose au lecteur un voyage sillonnant les vastes étendues de la Colombie, l´un des pays du sous-continent au plus fort potentiel touristique et aux attraits le plus souvent aisément accessibles. Ce qui est ici publié n´est qu´un avant-goût de ce que le visiteur trouvera dans ce pays d´une infinie beauté et diversité.

Contenido

Content

Contenu

Zona Andina

Orinoquia y Amazonia

Bogotá

Una publicación de Somos Editores Ltda.
Carrera 7 No. 85-40 Of. 902
Teléfono: (57-1) 256 5473
E-mail: somoseditores@gmail.com.
Bogotá, D. C., Colombia

Dirección Editorial: Consuelo Mendoza,
Sylvia Jaramillo, Emiro Aristizábal
Textos: Olga Lucía Jaramillo
Dirección de Arte: Laura De Gamboa
Diagramación: Haidy García
Traducciones: Michael Sparrow
Corrección de textos: César Tulio Puerta
Preprensa: Zetta Comunicadores
Impresión: Panamericana Formas e Impresos S.A.

Fotografías: Germán Montes, Armando Matiz, Fernando Cano
Busquets, Olga Lucía Jordán, Rodrigo Moncada, Darío Eusse,
Stephan Riedel, Aviatur, Marcelo Bedoya, Mauricio Ánjel,
Francisco Carranza, Juan Mayr, María Páez Rincón,
Revista Cromos, Alfredo Máiquez, Consuelo Mendoza
Ediciones, Diseño Editorial.

ISBN: 978-958-97378-4-2
Tercera edición - Abril de 2011
Cuarta edición - Octubre de 2011
Quinta edición - Septiembre de 2012
Sexta edición - Octubre de 2013
Se terminó de imprimir en Octubre de 2013

Foto portada: Fernando Cano Busquets
Foto guardas: Germán Montes

Parque del Café, Montenegro, Quindío.

Río Amazonas.

Cañon del río Chicamocha, Santander.

Villa de Leyva, Boyacá.

Medellín, Antioquia.

Parque Nacional Tayrona.

Costa Atlántica

Cartagena de Indias en pleno mar Caribe, declarada Patrimonio Histórico y Cultural de la Humanidad por la Unesco, reúne historia, arquitectura, gastronomía, murallas, turismo y folclor. Una de las ventajas de la ciudad es disfrutar de la enorme variedad de frutas tropicales que las *palenqueras* llevan sobre sus cabezas y venden en calles y playas.

❖

Cartagena de Indias, right on the Caribbean Sea, has been declared part of the Historical and Cultural Heritage of Mankind by Unesco. The city combines history, architecture, good food, city walls, tourism and folklore. One of its advantages lies in the fact that a wide variety of tropical fruits can be enjoyed there.

❖

Cartagena de Indias, sur la côte Caraïbe, est classée Patrimoine Historique et Culturel de l'Humanité par l'Unesco. S'y côtoient histoire, architecture, gastronomie, murailles, tourisme et folklore. L'un des charmes de la ville est de déguster une infinie variété de fruits tropicaux que les palenqueras portent sur leur tête et vendent dans les rues ou sur les plages.

Murallas de Cartagena de Indias.

Izquierda: el Centro Internacional de Convenciones Cartagena de Indias, frente a la bahía de la ciudad, junto a la zona histórica y cercano a la zona hotelera. Tiene capacidad para albergar hasta 4.000 personas. **Arriba:** iglesia de San Pedro Claver y al fondo la catedral. **Abajo:** vista parcial de la ciudad amurallada.

❖

Left: Cartagena de Indias International Convention Centre, on the bay next to the old city and near the hotel area. It can cater for up to 4,000 people. **Above:** San Pedro Claver Church, with the cathedral in the background. **Below:** Partial view of the walled city.

❖

À gauche: Le Centre International des Congrès de Cartagena de Indias. Face à la baie, jouxtant le centre historique et à proximité de la zone hôtelière, le Centre peut accueillir jusqu'à 4 000 personnes. **Ci-dessus:** l'église de San Pedro Claver avec en arrière plan la cathédrale. **Ci-dessous:** vue partielle de la ville entourée de remparts.

Santa Cruz de Mompox, una isla en el río Magdalena, declarada también por la Unesco Patrimonio Histórico y Cultural de la Humanidad, es una de las más bellas y fascinantes joyas de la arquitectura colonial. **Arriba:** una de sus tradicionales calles en las que cada rincón, cada ventana o cada frontis encierra todo un pasado, y el cementerio pleno de encanto artístico y religioso. **Derecha:** iglesia de Santa Bárbara, ícono arquitectónico de Mompox.

❖

Santa Cruz de Mompox, on an island in the Magdalena River, has also been declared part of the Historical and Cultural Heritage of Mankind by Unesco. It is one of the most fascinating and beautiful gems of colonial architecture. **Above:** One of its typical streets, where every corner, every window and every frontage has its own history, and the cemetery is full of artistic and religious charm. **Right:** Santa Barbara Church, the architectural icon of Mompox.

❖

Santa Cruz de Mompox est une île située au milieu du fleuve Magdalena, également déclarée Patrimoine Historique et Culturel de l'Humanité par l'Unesco. C'est l'un des plus beaux fleurons de l'architecture coloniale. **Ci-dessus:** une des rues typiques où chaque recoin, chaque fenêtre, chaque façade évoque tout un passé, et le cimetière empli d'un charme artistique et religieux. **À droite:** l'église de Santa Bárbara, symbole architectural de Mompox.

Barranquilla es una de las ciudades más pujantes del Caribe colombiano. Su Carnaval es un apoteósico encuentro cultural con baile en las calles, una verdadera descarga de alegría y folclor, llena de personajes de leyenda, declarado Patrimonio Oral e Intangible de la Humanidad. **Arriba:** zona del Alto Prado con modernos edificios de vivienda. **Abajo:** antiguo edificio de la Aduana, actualmente centro cultural y sede de oficinas administrativas de la ciudad.

❖

Barranquilla is a booming city on Colombia's Caribbean coast. Its carnival is a tremendous cultural gathering with dancing in the streets, a veritable outpouring of joy and folklore and full of legendary characters. It has been declared Oral and Intangible Heritage of Mankind. **Above:** Alto Prado area, with modern apartment blocks. **Below:** The old Customs House, currently a cultural centre and home of the city's administrative offices.

❖

Barranquilla est une ville en pleine effervescence de la Caraïbe colombienne. Son carnaval est une fabuleuse rencontre culturelle où les danses envahissent les rues. Cette véritable explosion de joie et de folklore, foisonnante de personnages légendaires, est déclarée Patrimoine Oral et Immatériel de l'Humanité. **Ci-dessus:** Quartier de l'Alto Prado avec ses zones résidentielles modernes. **Ci-dessous:** ancien bâtiment de la Douane, aujourd'hui centre culturel et siège de l'administration municipale.

Ciudad Perdida en la Sierra Nevada de Santa Marta - Parque Arqueológico Nacional y Taironaca a orillas del río Don Diego son vestigios de la cultura Tayrona, comparable con las grandes ruinas de América. Están caracterizadas por una intrincada red de caminos enlosados, de terrazas y plazoletas circulares sostenidas por muros.

❖

The Lost City, in the Sierra Nevada de Santa Marta and Taironaca National Archaeological Park, on the banks of the River San Diego are the most important remains of the Tayrona culture, and is on a par with the great ruins of America. It is noted for its intricate web of paved pathways, terraces and circular squares supported by walls.

❖

Ciudad Perdida – la « ville perdue » se trouve dans la Sierra Nevada de Santa Marta - Parc Archéologique National et Tayronaca, sur les berges du fleuve San Diego, ces vestiges de la culture Tayrona sont comparables aux plus célèbres ensembles archéologiques d'Amérique. Un réseau tortueux de chemins dallés serpente entre des terrasses et des petites places rondes cerclées de murs en pierre.

Arriba: Playa Neguanje en el Parque Nacional Tayrona, deslumbrante por su blancura y soledad. **Abajo:** Taganga, característico pueblo de pescadores cerca de Santa Marta, especial para el buceo y la buena comida de mar. **Derecha:** el contraste entre las montañas de la Sierra Nevada de Santa Marta, el mar azul y las playas hacen de esta zona un mágico paraje.

❖

Above: Neguanje Beach in Tayrona National Park, with its stunning whiteness and loneliness. **Below:** Taganga, a typical fishing village near Santa Marta renowned for its diving and good seafood. **Right:** The contrast between the mountains of the Sierra Nevada de Santa Marta, the blue sea and the sandy beaches make this a truly enchanting area.

❖

Ci-dessus: Plage Neguanje dans le Parc National Tayrona, surprenante de blancheur et de solitude. **Ci-dessous:** Taganga, village pittoresque de pêcheurs près de Santa Marta, réputé pour la plongée sous marine et ses succulents fruits de mer. **À droite:** Le contraste entre les montagnes de la Sierra Nevada de Santa Marta, le bleu de la mer et les plages de sable blanc rend cet endroit magique.

Ubicada frente a una amplia bahía, Santa Marta es la ciudad hispánica más antigua de Colombia. **Arriba:** El Altar de la Patria, monumento nacional a Simón Bolívar en la Quinta de San Pedro Alejandrino, donde murió el Libertador; la catedral, donde se dice reposa su corazón, y una muestra del moderno desarrollo urbanístico de la ciudad. **Derecha:** Casa de la Aduana, edificación con mayor significativo histórico en Santa Marta, bautizada después como Casa de Bolívar porque fue la única casa que tuvo el privilegio de tener al Libertador como huésped.

❖

Standing on a wide bay, Santa Marta is the oldest Hispanic city in Colombia. **Above:** The Altar of the Motherland, a national monument to Simón Bolívar on San Pedro Alejandrino Estate, where the Liberator died; the Cathedral, where his heart is said to be buried, and an example of modern town development in the city. **Right:** The Customs House, the building with the greatest historical importance in Santa Marta and later known as Bolívar's House, because it was the only one that enjoyed the privilege of having the Liberator as a guest.

❖

Située dans une vaste baie, Santa Marta est la plus ancienne ville hispanique de Colombie. **Ci-dessus:** L'Autel de la Patrie, monument national dédié à Simón Bolívar, se trouve dans la Quinta de San Pedro Alejandrino où le Libertador mourut. La cathédrale, où dit-on, son cœur est conservé et un exemple du développement urbain moderne de la ville. **À droite:** Santa Marta, le bâtiment de la Douane, d'une grande importance historique, rebaptisé la Maison de Bolívar car elle fut la seule ayant eu le privilège d'accueillir le Libertador.

Al extremo norte de Colombia está La Guajira, mezcla maravillosa de culturas indígenas, desierto, mar, carbón y sal. **Arriba:** el Cabo de la Vela, un escenario sublime y un horizonte inconmensurable. Los indígenas wayúu dicen que allí van sus almas al morir. **Derecha:** Santuario de Fauna y Flora Los Flamencos, formado por grandes lagos rodeados de mangles y bosque seco. Las bellas aves de plumaje rosado dan su nombre al lugar.

❖

In the extreme north of Colombia is La Guajira, a marvellous mixture of indigenous cultures, desert, sea, coal and salt. **Above:** Cabo de la Vela, a sublime setting with an endless horizon. The Wayúu indians say this is where their souls go when they die. **Right:** The Flamingo Wildlife Sanctuary, consisting of large lakes surrounded by mangrove swamps and dry forest. The name comes from the beautiful birds with their pink plumage that live there.

❖

A l'extrême nord de la Colombie se trouve La Guajira, combinaison merveilleuse de cultures indigènes, désert, mer, charbon et sel. **Ci-dessus:** le Cabo de la Vela, un décor sublime et un horizon infini. Les indigènes Wayúu disent que leurs âmes viennent y mourir. **À droite:** Sanctuaire de faune et de flore Los Flamencos, formé de grands lacs entourés de mangroves et de forêt tropicale sèche. Les beaux flamants au plumage rose donnent leur nom à l'endroit.

"La sal es nuestra vida", dicen los indígenas que desde siglos la extraen de las salinas marinas de Manaure. Cuando el sol seca las charcas, con el agua salobre, aquellas producen espectaculares colores. Para protegerse del sol, las indígenas wayúu cubren el rostro con un ungüento marrón hecho a base de hongos.

❖

"Salt is our life", say the indians who have been extracting it for centuries from the sea salt beds of Manaure. When the sun dries the ponds out, the brackish water produces spectacular colours. To protect themselves from the sun, the Wayúu indians cover their faces with a brown ointment made from fungi.

❖

"Le sel est notre vie" affirment les indigènes qui depuis des siècles l'extraient des salins de Manaure. L'évaporation provoquée par le soleil transforme les étendues salées en une mosaïque de multiples couleurs selon leur concentration en sel. Pour se protéger du soleil, les Wayúu se couvrent le visage d'une crème marron à base de champignons.

Arriba: el "Puente de los Enamorados" que une a Providencia con la bella isla de Santa Catalina. **Abajo:** "La cabeza de Morgan" en Santa Catalina, singular escultura natural que el golpe de las olas y el viento esculpió en la roca. **Derecha:** la paradisiaca isla de Providencia en el mar Caribe.

❖

Above: "Lovers Bridge", which links Providencia to the beautiful island of Santa Catalina. **Below:** "Morgan's Head", on Santa Catalina, an unusual natural sculpture that the force of the wind and waves has carved out of the rock. **Right:** The paradise island of Providencia, in the Caribbean Sea.

❖

Ci-dessus: le «Pont des amoureux» qui relie Providencia à la belle île de Santa Catalina. **Ci-dessous:** "La tête de Morgan" à Santa Catalina, singulière sculpture taillée dans la roche par les vagues et le vent. **À Droite:** La paradisiaque île de Providencia sur la mer Caraïbe.

El mar multicolor y transparente de la isla de San Andrés en el Caribe colombiano, sus playas blancas, el verde tropical y su barrera coralina la hacen un destino maravilloso, propio para el descanso y los deportes náuticos.

❖

The multicolour, crystal-clear sea off the island of San Andrés in Colombia's Caribbean, its white-sand beaches, the lush green tropical scenery and the island's coral reef make it a wonderful destination, ideal for water sports and relaxing.

❖

La mer multicolore et transparente de l'île de San Andres dans Caraïbe colombienne. Ses plages blanches, le vert tropical et sa barrière de corail font de cette île une destination merveilleuse, propice au repos et aux sports nautiques.

Arriba: la cumbia, ritmo colombiano por excelencia, cuyo origen parece remontarse alrededor del siglo XVIII, en la costa atlántica del país. **Derecha:** la principal actividad en la sabana costeña es la ganadería, en los departamentos de Córdoba y Sucre, alternada actualmente con la agricultura.

❖

Above: *Cumbia*, a Colombian beat *par excellence*, the origin of which apparently dates back to around the 18th century on Colombia's Atlantic coast. **Right:** Cattle raising is the principal activity on the coastal plains in Córdoba and Sucre provinces, nowadays alternating with agriculture.

❖

Ci-dessus: La cumbia, rythme colombien par excellence. Son origine semble remonter au XVIIIe siècle, sur la côte Atlantique du pays. **À droite:** Les plaines côtières des départements de Córdoba et de Sucre sont propices à l´élevage de bétail, en alternance aujourd´hui avec l´agriculture.

El paisaje agreste, los majestuosos árboles, el río, los vaqueros y el ganado forman un verdadero espectáculo natural en la costa atlántica. La Corraleja: fiesta taurina que encierra un mundo de expresiones, vivencias y tradiciones propias de los pueblos de los departamentos de Córdoba y Sucre.

❖

The wild scenery, majestic trees, river, cowboys and cattle all go to make up a real spectacle of nature on the Atlantic coast. *La Corraleja*: bullfighting festival with its own world of expressions, experiences and traditions amongst people living in Córdoba and Sucre provinces.

❖

Le paysage campagnard, les arbres majestueux, le fleuve, les vaqueros (cowboys colombiens) et le bétail constituent un véritable spectacle naturel sur la côte Atlantique. La Corraleja: fête taurine typique, avec ses expressions, ses expériences et ses traditions propres aux peuples des départements de Córdoba et de Sucre.

Alejados todavía de lo que son los grandes y congestionados desarrollos turísticos, Coveñas y Tolú, en el golfo de Morrosquillo, mantienen el encanto de las playas nativas, placenteras y tranquilas, propias para el descanso y los deportes.

❖

Still far distant from the large, congested tourist centres, Coveñas and Tolú, on the Gulf of Morrosquillo, retain the charm of their peaceful, pleasant native beaches, which are ideal spots to relax or enjoy watersports.

❖

Encore éloignées des grandes stations touristiques noires de monde, Coveñas et Tolú sur le golfe de Morrosquillo, conservent le charme des plages vierges, plaisantes et tranquilles. Une invitation au repos et à la pratique sportive.

Arriba: el departamento del Cesar es conocido como tierra de acordeones. En Valledupar, su capital, se realiza cada año, a finales de abril, el Festival de la Leyenda Vallenata. **Derecha:** el río Guatapurí, reconocido por sus aguas cristalinas y en cuya margen se levanta Valledupar, muy cerca de la ciudad se convierte en deliciosos balnearios rodeados de exuberante vegetación.

❖

Above: Cesar province is known for being a land of accordions. The "Vallenato Legend" Festival is held in the provincial capital of Valledupar in late April every year. **Right:** Very near Valledupar, the River Guatapurí, which is famous for its crystal-clear water and on whose banks the city stands, boasts numerous delightful spots for bathing, surrounded by lush vegetation.

❖

Ci-dessus: Le département du Cesar est connu comme la terre de l'accordéon. A Valledupar, sa capitale, le Festival de la Légende Vallenata se tient chaque année vers la fin avril. **À droite:** Le riyiène Guatapurí avec ses eaux cristallines borde Valledupar et offre aux abords de la ville d'agréables stations balnéaires, entourées d'une végétation luxuriante.

Guatapé, Antioquia.

Zona Cafetera

Izquierda: la Piedra del Peñol, un monolito de 220 metros de altura, frente al embalse de Guatapé a 80 km de Medellín. Desde su cima se disfruta una vista de 360 grados que capta la exuberante belleza del embalse y sus tierras vecinas. **Arriba:** el Puente colgante de Occidente sobre el río Cauca, en Santa Fe de Antioquia, construido a finales del siglo XIX, un verdadero monumento de la ingeniería colombiana.

❖

Left: El Peñol rock, a monolith 220 metres high that rises up opposite Guatapé reservoir, 80 kilometres from Medellín. A 360-degree view can be enjoyed from the summit, one which takes in the lush vegetation around the reservoir and in the nearby landscape. **Above:** Western suspension bridge over the River Cauca in Santa Fe de Antioquia, built in the late 19th century, a veritable monument to Colombian engineering.

❖

À gauche: La Piedra del Peñol, monolithe de 220 m, face au barrage de Guatapé à 80 km de Medellín. De son sommet on jouit d'une vue à 360 degrés sur l'exubérante beauté du barrage et des terres environnantes. **Ci-dessus:** le pont suspendu de l'Occident sur le fleuve Cauca, à Santa Fe de Antioquia. Construit à la fin du XIXè siècle, c´est un monument de l´ingénierie colombienne.

Arriba: el Parque Explora en Medellín, un parque interactivo de 25.000 metros cuadrados para experimentar, aprender y divertirse con la ciencia y la tecnología. **Derecha:** Parque Biblioteca España, en el cerro Santo Domingo, al que se accede por metro cable y donde se aprovechan las condiciones de mirador de toda la ciudad. El diseño acoge tres edificios a manera de "rocas" o volúmenes que emergen de la tierra como nuevos referentes de la ciudad.

❖

Above: "Explora Park" in Medellín, an interactive park covering some 25,000 square metres where you can enjoy yourself as you learn and experiment with science and technology. **Right:** Spain Library Park on Santo Domingo Hill, reached by cablecar, which acts as a fine viewpoint for the whole city. The design incorporates three "rock-like" buildings or blocks which emerge from the ground, and these have become new reference points in the city.

❖

Ci-dessus: Le Parc Explora à Medellín, un parc interactif de 2,5 hectares pour expérimenter, apprendre et se divertir avec la science et la technologie. **À droite:** Parc Bibliothèque España, sur la Colline Cerro Santo Domingo, où les visiteurs accèdent par télécabine et profitent du belvédère pour contempler toute la ville. Le dessin inclut trois bâtiments à la manière de "roches" ou volumes émergeant de la terre comme de nouveaux repères de la ville.

Asentada en un estrecho valle, Medellín, capital del departamento de Antioquia, es una ciudad en permanente desarrollo, destacada en los últimos años por su acelerado crecimiento urbanístico. El sistema de transporte masivo del metro, inaugurado en 1995, incluye una novedosa modalidad de metrocables que prestan servicio a barrios periféricos, con lo cual se ha logrado mejorar notablemente las condiciones de vida.

❖

Lying in a narrow valley, Medellín, the provincial capital of Antioquia, is a city of never-ending development, notable in recent years for its rapid urban growth. The metro mass transit system, which opened in 1995, includes a novel «Metrocable» variant which serves districts on the outskirts, thereby radically improving living conditions.

❖

Construite dans une vallée étroite, Medellin, capitale du département d'Antioquia, est une ville en constant développement qui s'est distinguée ces dernières années par sa rapide croissance urbaine. Le métro, créé en 1995, comprend un système de télécabines reliant les quartiers périphériques des hauteurs de la ville, contribuant à l´amélioration notoire des conditions de vie.

Medellín es reconocida por albergar gran número de obras del maestro Fernando Botero, nacido allí, las cuales se exhiben en el Museo de Antioquia y en diversos lugares públicos.

❖

Medellín is known for being home to a large number of works by the famous artist and sculptor Fernando Botero, who was born in the city. These are displayed in the Antioquia Museum, and in various public places.

❖

Medellín abrite un grand nombre d'oeuvres du artiste Fernando Botero, né dans cette ville. Elles sont exposées dans le Musée d'Antioquia et dans plusieurs lieux publics.

Ubicada sobre la cordillera Central, Manizales es reconocida por la celebración de su feria, la más tradicional de Colombia, y su Festival de Teatro. La ciudad tiene gran cantidad de joyas arquitectónicas con influencia de distintas épocas. **Arriba:** sede de la Gobernación. **Abajo:** muestra de edificación republicana en el centro de la ciudad. **Derecha:** la catedral, construida en concreto con estilo neogótico en combinación con elementos bizantinos.

❖

Situated in the Central cordillera, Manizales is well-known for the fair that is held there, which is the most traditional in Colombia, and for its Drama Festival. The city boasts a large number of architectural gems, showing the influences of different eras. **Above:** Provincial government headquarters. **Below:** example of Republican building style in the city centre. **Right:** the cathedral, which is made of concrete in the neo-Gothic style, but which also boasts Byzantine elements.

❖

Située sur la cordillère Centrale, Manizales est connue pour sa foire, la plus traditionnelle de Colombie et son Festival de Théâtre. La ville est riche en joyaux architecturaux de diverses époques. **Ci-dessus:** siège du gouvernement régional. **Ci-dessous:** exemple de construction républicaine au centre de la ville. **À droite:** la cathédrale, construite en béton, de style néogothique combiné avec des éléments byzantins.

Pereira es eje fundamental del progreso de la zona cafetera. **Izquierda:** viaducto César Gaviria Trujillo que une a la ciudad con el municipio de Dosquebradas. **Arriba:** el Parque Residencial Ciudad Victoria, desarrollo urbanístico eje de la renovación social, cultural y económica en la ciudad.

❖

Pereira is the focal point of progress in the coffee-growing region. **Left:** César Gaviria Trujillo bridge or viaduct, which links the city to the town of Dosquebradas. **Above:** Victoria City Residential Park, a housing development that is the focal point for social, cultural and economic revival in the city.

❖

Pereira est l'axe fondamental du progrès de la zone caféière. **Á gauche:** viaduc César Gaviria Trujillo qui relie la ville à la commune de Dosquebradas. **Ci-dessus:** le Parc Résidentiel Ciudad Victoria, ensemble urbain qui est le pôle du renouveau social, culturel et économique de la ville.

Por su ubicación, altitud y condiciones climáticas, la zona cafetera colombiana es rica en flora silvestre y exótica, fauna, montañas, ríos, nevados y paisajes sorprendentes.

❖

Because of its position, altitude and climatic conditions, Colombia's coffee-growing region is rich in exotic wildlife, mountains, rivers, snow-capped peaks and surprising landscapes.

❖

De par sa localisation, son altitude et son climat, la zone caféière est riche en flore sauvage et exotique, faune, montagnes, rivières, monts enneigés et paysages surprenants.

Las típicas fincas cafeteras del Quindío, fieles representantes de la arquitectura antioqueña, son utilizadas hoy como hoteles. **Arriba:** paisajes del Valle de Cocora, lugar por excelencia para contemplar nuestro árbol nacional, la palma de cera. **Abajo:** Parque Nacional del Café en la vía Montenegro - Pueblo Tapao, donde se exalta el cultivo del café y su historia.

❖

The typical coffee farms of Quindío, which are faithful depictions of Antioquia architecture, function nowadays as hotels. **Above:** Scenery in Cocora Valley, one of the best areas to see Colombia's national tree, the wax palm. **Below:** The National Coffee Park, on the Montenegro – Pueblo Tapao road, tells the fascinating history of coffee growing.

❖

Les fermes caféières typiques du Quindío, représentantes fidèles de l'architecture d'Antioquia, aujourd'hui utilisées comme hôtels. **Ci-dessus:** Paysages du Valle de Cocora, lieu idéal pour observer le palmier emblème national de la Colombie : la palma de cera. **Ci-dessous:** Parc National du Café sur la route Montenegro - Pueblo Tapao, où est mise en valeur la culture du café et son histoire.

Colombia es un país cafetero. Su cultivo se da básicamente en el centro del país. Se recogen dos cosechas, una grande que se llama cosecha principal y una pequeña denominada *traviesa* o *mitaca*, que produce aproximadamente una tercera parte de la principal. Estas características permiten ofrecer al mundo café fresco durante todo el año. Colombia es el tercer exportador mundial de café, reconocido internacionalmente por la calidad y suavidad del grano.

❖

Colombia is a coffee country. It is grown basically in the centre of the country. There are two harvests, a large one, known as the main harvest, and a smaller one which goes by the name of "traviesa" or "mitaca", in which about a third of the amount gathered in the main harvest is produced. These features mean that the world can be offered fresh coffee all year round. Colombia is the third largest coffee exporter in the world, and is internationally acclaimed for the quality and mildness of its beans.

❖

La Colombie est un pays de café. Ce dernier est cultivé surtout au centre du pays. Il y a deux récoltes: la récolte principale et la petite récolte nommée traviesa ou mitaca, qui produit environ un tiers de la principale. Cela permet d'offrir au monde du café frais toute l'année. La Colombie est le troisième exportateur au monde de café, lequel est reconnu internationalement pour la qualité et la douceur de son grain.

Arriba: a 3.900 metros sobre el nivel del mar en el Parque Nacional Natural Los Nevados, se encuentra la laguna del Otún, en un paisaje de belleza indescriptible. **Derecha:** pintoresco puente dentro del Parque Nacional del Café.

❖

Above: At a height of 3,900 metres above sea level in Los Nevados National Park is Otún Lake, set in surroundings of indescribable beauty. **Right:** Picturesque bridge in the National Coffee Park.

❖

Ci-dessus: À 3.900 m d'altitude dans le Parc Naturel National Los Nevados se trouve la lagune del Otún, dans un paysage d'une indescriptible beauté. **À droite:** pont pittoresque dans le Parc National du Café.

Isla de Gorgona.

Zona Pacífica

Cada año, las cálidas aguas del Pacífico colombiano reciben la presencia de las ballenas jorobadas o yubartas, especie marina que anualmente migra entre la península antártica y las costas colombianas. **Arriba:** playas de Capurganá y Bahía Solano.

❖

Every year, the warm waters off Colombia's Pacific coast welcome humpback whales, a marine species that migrates between the Antarctic peninsula and the coasts of Colombia. **Above:** Capurganá and Bahía Solano beaches.

❖

Chaque année les eaux chaudes de l'océan Pacifique colombien accueillent les baleines à bosses ou Yubartas, qui migrent tous les ans de l'Antarctique aux côtes colombiennes. **Ci-dessus:** plages de Capurganá et de Bahía Solano.

La isla Gorgona en el Pacífico colombiano –en otros tiempos penitenciaría– es rica en paisajes exuberantes que contrastan con su mar. Las ballenas jorobadas, delfines, tortugas y sus bancos de coral, hacen de esta región de selva húmeda tropical uno de los más atractivos lugares para los que disfrutan de la naturaleza virgen y para quienes gustan del buceo, el *surfing* o las caminatas.

❖

Gorgona island, off Colombia's Pacific coast, used to be a prison, and boasts lush landscapes which contrast dramatically with its sea. Humpback whales, dolphins and turtles make this tropical rainforest region one of the most attractive of places for those who enjoy virgin nature, diving, surfing or walking.

❖

L'île Gorgona dans le Pacifique colombien – autrefois un bagne – est riche en paysages exubérants qui contrastent avec les eaux de sa mer. Les baleines à bosses, les dauphins, les tortues font de cette région de forêt humide tropicale un lieu particulièrement séduisant pour les amateurs de nature vierge, mais aussi de plongée, de surf ou de randonnée.

Izquierda: el Valle del Cauca, al suroccidente del país, es una tierra fértil y hermosa. El gran número de plantaciones de caña e ingenios azucareros aumentan la magnitud del paisaje, enclavado entre las cordilleras Central y Occidental. **Arriba:** el Valle del río Cauca, en su magnitud casi infinita, está considerado una gran despensa alimentaria.

❖

Left: Valle del Cauca province, in Southwestern Colombia, is a beautiful and fertile land. The large number of sugar cane plantations and refineries makes the landscape look bigger, hemmed in as the river valley is between the Central and Western cordilleras. **Above:** Because of its immense size, the River Cauca valley is a great breadbasket.

❖

À gauche: Le Valle del Cauca, au sud-ouest du pays, est une terre belle et fertile. Le grand nombre de plantations de canne et de raffineries de sucre ajoutent à la magnificence du paysage, enserré entre les cordillères Centrale et Occidentale. **Ci-dessus:** D'une magnitude presque infinie, la Vallée du Fleuve Cauca est considérée un grand réservoir d'aliments.

Arriba: Teatro Municipal Enrique Buenaventura, de estilo preciosista y barroco. **Abajo:** Plaza de toros Cañaveralejo, escenario de la fiesta brava en época de fin de año. **Derecha:** la iglesia La Ermita, inspirada en la catedral de Colonia en Alemania, es uno de los símbolos de la ciudad de Cali, capital del Valle del Cauca.

❖

Above: The euphuistic, baroque-style Enrique Buenaventura Municipal Theatre. **Below:** Cañaveralejo bullring, the setting for the year-end celebrations. **Right:** La Ermita church, the inspiration for which is to be found in Cologne cathedral in Germany, is one of the symbols of the city of Cali, the Valle del Cauca provincial capital.

❖

Ci-dessus: Théâtre Municipal Enrique Buenaventura de style précieux et baroque. **Ci-dessous:** Arènes de Cañaveralejo, théâtre des célébrations de fin d'année. **À droite:** Eglise La Ermita, inspirée de la cathédrale de Cologne en Allemagne, c'est l´un des symboles de la ville de Cali, capitale du Valle del Cauca.

Izquierda y arriba: En Buga, a 73 km de Cali, se encuentra la basílica del Señor de los Milagros donde se venera el Cristo milagroso. Recientemente, detrás de la imagen, se descubrió al verdadero crucifijo, más antiguo, con láminas de plata repujada. Es uno de los sitios religiosos más visitados de Colombia. **Abajo:** la Estación del Ferrocarril de Palmira, verdadera joya arquitectónica del Valle del Cauca.

❖

Left and above: In Buga, 73 km. from Cali, is the Basilica of the Lord of Miracles, where homage is paid to the miraculous Christ. The real, older crucifix was discovered recently behind the image, with embossed silver sheets. It is one of the most-visited religious sites in Colombia. **Below:** Palmira railway station, a true Valle del Cauca architectural gem.

❖

À gauche et ci-dessus: À Buga, à 73 kilomètres de Cali, se trouve la Basilique du Señor de los Milagros (le Seigneur des Miracles), où l'on vénère le Christ miraculeux. L'on a découvert récemment, derrière l'image, le véritable crucifix, plus ancien, avec des lames en argent repoussé. Il s'agit de l'un des endroits religieux les plus visités en Colombie. **Ci-dessous:** La gare de Palmira, un véritable joyau architectural du Valle del Cauca.

La represa de Calima, un embalse de 1.480 metros sobre el nivel del mar y a 40 km al nordeste de Buga, es famosa por la práctica de deportes náuticos y atractivo lugar de veraneo.

❖

Calima Dam, a reservoir at a height of 1480 metres above sea level 40 km north east of Buga, is famous for its watersports and an attractive summer resort.

❖

Le barrage de Calima, un réservoir d'eau qui se trouve à 1.480 mètres au dessus du niveau de la mer, et à 40 kilomètres au Nord Est de Buga, est célèbre par la pratique de sports nautiques; c'est un endroit très attirant pour passer les grandes vacances.

Popayán es la ciudad blanca. Colonial, religiosa, con grandes casonas y edificaciones revestidas de historia. **Arriba:** Torre del Reloj, construida para fortalecer los cimientos de la catedral basílica metropolitana.

❖

Popayán is known as "the white city". Colonial, religious, with big old houses and buildings steeped in history. **Above:** The Clock Tower, built to strengthen the foundations of the metropolitan cathedral.

❖

Popayán est la ville blanche. Coloniale, religieuse, avec de vastes maisons coloniales et des bâtisses chargées d'histoire. **Ci-dessus:** Tour de l'Horloge, construite pour renforcer les fondations de la cathédrale métropolitaine.

Izquierda: iglesia de Santo Domingo en Popayán, obra del barroco neogranadino. Posee excelentes muestras de arquitectura, orfebrería y mobiliario de las escuelas quiteña y española. Su púlpito fue diseñado en el siglo XIX por el sabio Francisco José de Caldas. **Arriba:** sus calles antiguas y empedradas al igual que sus patios, contribuyen a resguardarla como patrimonio arquitectónico. La celebración de la Semana Santa constituye un despliegue de música, arte y tradición.

❖

Left: Santo Domingo church in Popayán, a Nueva Granada baroque masterpiece. It contains fine examples of Quito and Spanish school furnishings, goldwork and architecture. Its pulpit was designed in the 19th century by Francisco José de Caldas. **Above:** Its old, cobbled streets and courtyards are symbols of Popayán's architectural heritage. The city is one big display of music, art and tradition during the Holy Week celebrations.

❖

À gauche: Eglise de Santo Domingo de Popayán, oeuvre du baroque néogrenadin. Elle abrite d'excellents exemples d'architecture, d'orfèvrerie et de mobilier des écoles de Quito et d'Espagne. Sa chaire fut dessinée au XIXe siècle par Francisco José de Caldas. **Ci-dessus:** ses vieilles rues pavées et ses cours intérieures symbolisent le patrimoine architectural de Popayán. La ville se remplit de musique, d'art et de tradition à l'occasion des célébrations de la Semaine Sainte.

El departamento de Nariño, en los límites con Ecuador, simula una colcha de retazos multicolor tendida sobre la cordillera, formando un escenario imponente de montañas, volcanes y lagunas. **Izquierda:** Santuario de Nuestra Señora de Las Lajas, "un milagro de Dios sobre el abismo", construido sobre el profundo cañón del río Guáitara.

❖

Nariño province, on the border with Ecuador, spreads out over the cordillera like a multicoloured patchwork quilt in an impressive landscape of mountains, volcanoes and lakes. **Left:** The Sanctuary of Our Lady of Las Lajas, "a miracle by God over the abyss", which was built across the deep canyon of the River Guáitara.

❖

Le département de Nariño à la frontière avec l'Equateur ressemble à un patchwork multicolore sur la cordillère, ensemble imposant de montagnes, volcans et lagunes. **À gauche:** Sanctuaire de Notre Dame de Las Lajas, "un miracle de Dieu sur l'abîme", construit au dessus les profondes gorges du Guáitara.

Barichara, Santander.

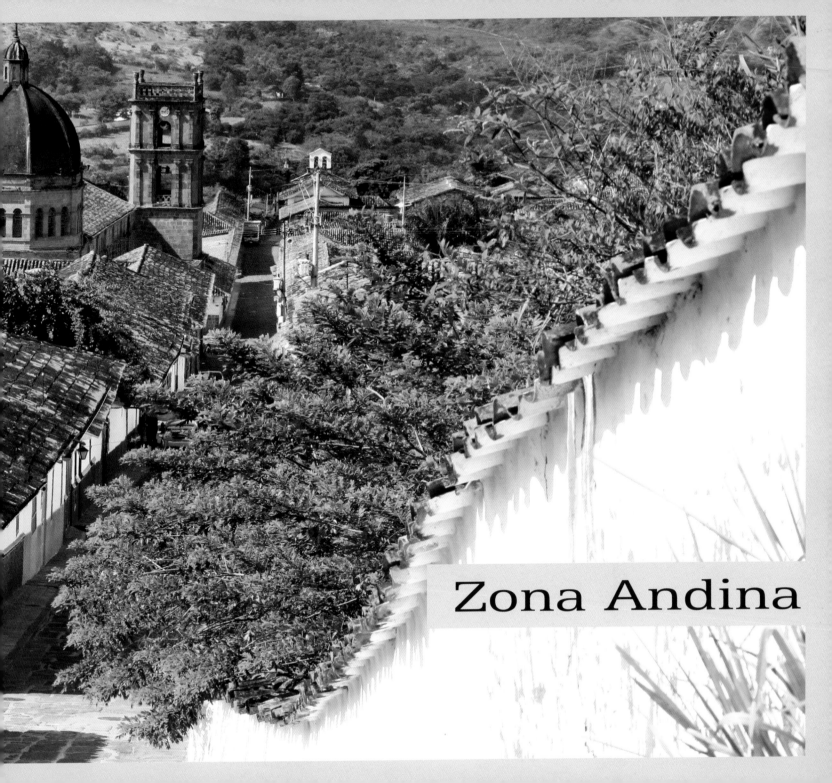

Zona Andina

Villa del Rosario es un pequeño poblado en la frontera con Venezuela, cerca de Cúcuta. Fue cuna del general Santander. En el Templo Histórico de Villa del Rosario tuvo lugar el Congreso de 1821 y se creó la Gran Colombia, integrada por Panamá, Ecuador, Venezuela y Colombia.

❖

Villa del Rosario is a small village on the Venezuelan border, near Cúcuta. It was the birthplace of General Santander. It was in Villa del Rosario's Historic Temple that a Congress was held in 1821 and Greater Colombia was formed, consisting of the present-day Panama, Ecuador, Venezuela and Colombia.

❖

Villa del Rosario est un petit village à la frontière du Venezuela, près de Cúcuta, où est né le général Santander. C´est dans le Temple Historique de la Villa del Rosario que s'est tenu le Congrès de 1821 fondant la Grande Colombie constituée par les actuels Panama, Equateur, Venezuela et Colombie.

Arriba: casa de Luis Perú de Lacroix, general francés que batalló en el ejército de Napoleón I en Europa y en el de Simón Bolívar en Suramérica. **Derecha:** Parque García Rovira, con su capilla de los Dolores, uno de los más tradicionales lugares de Bucaramanga, reconocida como "Ciudad de los Parques".

❖

Above: The home of Louis Peru de Lacroix, a French general who fought in Europe in the army of Napoleon I and in South America in that of Simón Bolívar. **Right:** García Rovira Park, with its Dolores Chapel, is one of the most traditional spots in Bucaramanga, which is known as "City of the Parks".

❖

Ci-dessus: maison de Luis Perú de Lacroix, général français qui combattit en Europe dans l'armée de Napoleon I et en Amérique du Sud dans celle de Simón Bolívar. **À droite:** Parc García Rovira, avec sa Capilla de los Dolores, un des lieux les plus traditionnels de Bucaramanga, connue comme la "Ville des Parcs".

Arriba: San Gil, ciudad llena de atractivos, como la práctica del canotaje y la visita a exóticos lugares naturales y parques entre los que se destaca el Parque El Gallineral. **Derecha:** Barichara, en Santander, es una población de calles empedradas, imponentes iglesias, y balcones de madera. Se trata de un verdadero oasis de paz y un refugio de artistas, pensadores y escritores.

❖

Above: San Gil is a town full of attractions, such as canoeing and visiting exotic natural landscapes and parks, the most notable among the latter being El Gallineral. **Right:** Barichara, in Santander, is a town of cobbled streets, impressive churches and wooden balconies. It is a veritable oasis of peace, and a refuge for artists, thinkers and writers.

❖

Ci-dessus: San Gil est une ville regorgeant d´attractions telles le rafting ou la visite de sites naturels exotiques et de parcs, dont l´emblématique Gallineral. **À droite:** Barichara, dans le département de Santander, est un village aux rues pavées, avec d´imposantes églises et des balcons de bois sculpté. Véritable oasis de paix, c´est un refuge pour les artistes, les penseurs et les écrivains.

Algunos de los más antiguos conventos y monasterios de América se encuentran en Villa de Leyva. **Derecha:** Villa de Leyva, en el departamento de Boyacá, es quizá el lugar colombiano donde más se respira el ambiente de un poblado ibérico. Recorrer su inmensa plaza principal —con 14.000 metros cuadrados empedrados—, sus estrechas calles, conventos, iglesias y recovecos constituye un verdadero placer para el espíritu.

❖

Some of the oldest monasteries and convents in America can be found in Villa de Leyva. **Right:** Villa de Leyva, in Boyacá province, is perhaps the place in Colombia where the atmosphere of an Iberian village can be experienced most closely. Wandering around its vast square - entirely cobbled and covering an area of 14,000 square metres - or its narrow streets, convents, churches, and its countless nooks and crannies, is a real pleasure for the spirit.

❖

Certains des couvents et des monastères les plus anciens d´Amérique se trouvent dans ce superbe lieu. **À droite:** Villa de Leyva dans le département du Boyacá est peut-être la ville colombienne où l'on sent le plus l'ambiance d'un village ibérique. Traverser son immense place principale – avec ses 14.000 mètres carrés pavés – déambuler dans ses étroites ruelles, ses couvents, ses églises et ses dédales est un véritable plaisir pour l'esprit.

Iglesia de Monguí, donde se conservan importantes obras de Gregorio Vásquez de Arce y Ceballos, notable pintor de la Colonia. La población mantiene su estilo español y un aire de estar detenida en el tiempo. **Derecha:** Puente de Boyacá. **Abajo:** Casa del Navegante en la represa de La Copa, municipio de Toca.

❖

Monguí Church, which contains a number of major Works by Gregorio Vásquez de Arce y Ceballos, an important colonial era painter. **Right:** Boyacá Bridge. **Below:** The Navigator's House at La Copa Dam, near the town of Toca.

❖

Église de Monguí, où sont conservées des oeuvres de Gregorio Vásquez de Arce y Ceballos, un peintre célèbre de la Colonie. Le village conserve son style espagnol et semble suspendu dans le temps. **À droite en haut:** Puente de Boyacá. **Ci-dessus:** Casa del Navegante, dans le barrage de Copa, tout près de la commune de Toca.

Arriba: la Casa del Fundador de Tunja, la cual conserva pinturas murales del siglo XVI. La capilla del Rosario en el templo de Santo Domingo guarda el mejor artesonado de madera y oro, también del siglo XVI. Es considerada la Capilla Sixtina de América. **Derecha:** imponente plaza de Tunja con la catedral, que se conserva en su estilo original.

❖

Above : The Founder's House in Tunja, which contains 16th century murals. El Rosario Chapel in Santo Domingo Church boasts the finest wood and gold coffered ceiling, also from the 16th century. It is considered to be the Sistine Chapel of America. **Right:** Impressive main square in Tunja, showing the cathedral, which is preserved in its original style.

❖

Ci-dessus : la Maison du Fondateur de Tunja conserve des peintures murales du XVI siècle. La chapelle du Rosario dans le temple de Santo Domingo également du XVIè siècle possède le plus fin plafond à caissons de bois couvert d´or. Elle est considérée comme la Chapelle Sixtine d'Amérique. **À droite:** l´imposante place de Tunja avec la cathédrale qui a conservé son style original.

Arriba: las artesanías hechas con diversos materiales, la lana, los tejidos y las esmeraldas de Muzo son parte del inmenso atractivo y belleza de Boyacá. **Derecha:** Paipa es uno de los ejes del movimiento turístico en Boyacá gracias a los atractivos de la zona y a su oferta hotelera, lugares históricos, museos y fuentes termales. El Monumento a los Lanceros, obra del escultor Rodrigo Arenas Betancur y erigido como homenaje a la batalla del Pantano de Vargas, es una imponente escultura de bronce que muestra a los catorce jinetes en sus cabalgaduras en plena carga, suspendidos en el aire.

❖

Above: Woollen and woven handicrafts and emeralds from Muzo are part of the immense attractions and beauty of Boyacá. **Right:** Paipa is one of the focal points for tourism in Boyacá, due to the attractions of the surrounding area and its hotels, historic sites, museums and thermal baths and springs. The Lancers Monument, made by Rodrigo Arenas Betancur, built to commemorate the Battle of Vargas Swamp, is an important bronze sculpture which shows the fourteen horsemen on their mounts, charging into battle yet suspended in the air.

❖

Ci-dessus : les artisanats en divers matériaux, la laine, les tissages et les émeraudes de Muzo font partie de l'immense charme et beauté du Boyacá. **À droite:** Paipa est un des centres du mouvement touristique du Boyacá grâce aux attraits de la région : ses hôtels, ses lieux historiques, ses musées et sources thermales. Le Monument aux Lanciers, de Rodrigo Arenas Betancur, érigé en hommage à la bataille du Pantano de Vargas, est une sculpture imposante en bronze qui montre les quatorze cavaliers sur leurs montures en pleine charge, suspendus en l'air.

Sobrecogedora, sublime, deslumbrante es la catedral construida dentro de las salinas de Zipaquirá, Cundinamarca, considerada una de las maravillas arquitectónicas del mundo. Se trata de una gran obra de arte e ingeniería.

❖

Moving, sublime, stunning: these are just some of the words that have been used to describe the cathedral built inside Zipaquirá, Cundinamarca, Saltmine and considered to be one of the architectural wonders of the world. It is a masterpiece of art and engineering.

❖

Saisissante, sublime, éblouissante est la cathédrale construite dans la mine de sel de Zipaquirá, Cundinamarca, considérée comme l'une des merveilles architecturales du monde. C'est un chef-d'oeuvre d'art et d´ingénierie.

Izquierda, arriba: laguna de Guatavita, a 80 km de Bogotá, lugar sagrado de la cultura muisca, es hoy un apetecido destino para el turismo ecológico. **Abajo:** puente sobre el río Magdalena en Girardot, Cundinamarca. **Derecha:** el páramo de Sumapaz, en los departamentos de Cundinamarca, Huila y Meta, exhibe en su mayor parte características montañosas, con diversas lagunas que tienen agua de gran pureza y zonas aún inexploradas.

❖

Above left: Guatavita Lake, 80 kilometres from Bogotá and once a sacred place for the Muiscas, is nowadays an attractive ecotourism destination. **Below:** Bridge over the River Magdalena in Girardot, Cundinamarca. **Right:** Most of Sumapaz Moor, in Cundinamarca, Huila and Meta provinces, is mountainous, with numerous lakes of extremely pure, fresh water and areas that are still unexplored.

❖

À gauche en haut: lagune de Guatavita à 80 km de Bogotá, ancien lieu sacré de la culture Muisca; c'est aujourd'hui une destination privilégiée pour le tourisme écologique. **En-dessous :** pont sur le fleuve Magdalena à Girardot, Cundinamarca. **À droite:** le Páramo de Sumapaz dans les départements du Cundinamarca, du Huila et du Meta, présente surtout des caractéristiques montagneuses, plusieurs lagunes d'une eau très pure et des zones encore inexplorées.

A la izquierda: volcán nevado del Tolima. Se trata del tercer pico más alto de Colombia sobre la cordillera Central, con 5.616 metros de altura sobre el nivel del mar. **Arriba:** parque principal de Ibagué, capital del departamento del Tolima. **Abajo:** interior del Conservatorio de Música de esa misma ciudad, que es conocida como la Capital Musical de Colombia.

❖

On the left: the snow-capped Tolima volcano in the Central cordillera. This is the third highest mountain in Colombia, and rises to a height of 5,616 metres above sea level. **Above:** the main park in Ibagué, capital city of Tolima province. **Below:** an interior view of the Music Conservatory in the city, which is known as the Music Capital of Colombia.

❖

À gauche : le volcan nevado del Tolima, recouvert de neiges éternelles. Avec ses 5 616 mètres d'altitude, c'est le troisième sommet de Colombie situé sur la cordillère Centrale. **En haut:** parc principal d'Ibagué, capitale du département du Tolima. **Ci-dessous:** intérieur du Conservatoire de Musique de cette même ville, réputée capitale musicale du pays.

Izquierda: el desierto de la Tatacoa, donde la erosión ha tallado extrañas formas, se ha convertido en un lugar de observación astronómica. **Arriba:** San Agustín reúne una gran cantidad de vestigios arqueológicos, legado de la fascinante cultura agustiniana, una de las más desarrolladas y misteriosas de América. La cultura de San Agustín tuvo su período de florecimiento entre los años 300 y 800 d. C.

❖

Left: Tatacoa desert, where strange forms have been carved by erosion, has become an astronomer's observation site. **Above:** San Agustín is home to a large number of archaeological remains, all left behind by the fascinating San Agustín culture, one of the most mysterious yet most highly developed in America. The San Agustín culture was at its height between the years 300 and 800 A.D.

❖

À droite: le désert de la Tatacoa où l'érosion a sculpté des formes étranges, est devenu un lieu d'observation astronomique. **Ci-dessus:** San Agustín réunit une grande quantité de vestiges archéologiques, héritage de la fascinante culture dite de San Agustín, l'une des plus développées et mystérieuses d'Amérique. La culture de San Agustín a connu son apogée entre les années 300 à 800 avant J.C.

El Parque Nacional Natural Nevado del Huila ofrece la máxima altura de la cordillera Central. Puede practicarse el montañismo con guianza, de diciembre a marzo. El nevado brinda la posibilidad de contemplar paisajes de belleza indescriptible y observar fauna exótica la cual incluye el cóndor.

❖

Nevado del Huila National Park is where the Central cordillera reaches its highest point. Mountaineering can be done here, with guides, from December to March. From the snow-capped peaks, landscapes of indescribable beauty can be contemplated and exotic wildlife observed, including the condor.

❖

Le Parc Natural National Nevado del Huila, possède le plus haut sommet de la Cordillère Centrale. L´alpinisme s´y pratique, en compagnie de guides, de décembre à mars. Le Nevado offre la possibilité de contempler des paysages d'une beauté indescriptible et d´observer la faune exotique comme le condor.

Río Amazonas.

Zona Orinoquia
y Amazonia

La tierra que recorre el Amazonas, en el extremo sur de Colombia, es denominada el "pulmón verde del mundo". Allí se convive con la naturaleza, una rica variedad de animales y legendarias comunidades indígenas. En el río se pueden admirar los famosos delfines rosados cuyo hábitat está ubicado en el lago Tarapoto. **Izquierda:** Victoria Regia, típica de la región. Su hoja en forma de círculo, de tres metros de diámetro, soporta hasta 40 kilos de peso.

❖

The land that the Amazon flows through in the extreme south of Colombia is know as the "world's green lung". An immense variety of animals and legendary indigenous communities live there, fully in harmony with nature. On the river can be seen the famous pink dolphins, whose habitat is Lake Tarapoto. **Left:** Victoria Regia, typical of the region. Its circular leaf, tree metres in diameter, can withstand weights of up to 40 kilos.

❖

Les terres traversées par l´Amazone dans l'extrême sud de la Colombie sont surnommées le "poumon vert du monde". C'est un lieu où de légendaires communautés indigènes et une grande diversité d'animaux cohabitent avec la nature. Parfois de fameux dauphins roses du lac Tarapoto se laissent apercevoir dans le fleuve. **À gauche:** Victoria Régia, typique de la région. Sa feuille forme un cercle de 3 mètres de diamètre; elle supporte un poids de presque 40 kilogrammes.

"¡Ay, mi llanura!", dice la canción, como expresión del sentimiento que produce el espectáculo de los inconmensurables llanos, al oriente de Colombia, con sus aves –sólo en la Serranía de la Macarena hay más de 500 especies–, su ganado y los deslumbrantes atardeceres. El coleo es un deporte y evento recreativo típico de la región. La historia asocia el coleo como una práctica española en la que se derribaba a la res en plena carrera.

❖

The words of the song, "Ay, mi llanura!", vividly express the feeling produced by the spectacle of endless plains in eastern Colombia, with their birds - on the Macarena Range alone there are more than 500 species -, cattle, and awe-inspiring sunsets. "Coleo" is one of the region's sports and typical recreational events. It is said to be an old Spanish practice, where the animal is brought down while it is still charging.

❖

"¡Ay, mi llanura!", (Oh mes plaines!) dit la chanson. C´est l´expression du sentiment provoqué par le spectacle des plaines infinies, à l'Est de la Colombie, avec les oiseaux – le massif de la Macarena en compte plus de 500 espèces – le bétail à perte de vue et des couchers de soleil à couper le souffle. Le coleo est un loisir typique de cette région. L'histoire l´associe à une pratique espagnole dans laquelle les vaqueros faisaient tomber les taureaux en pleine course en les saisissant par la queue.

Plaza de Bolívar, Bogotá.

Bogotá

El Museo Nacional, el más antiguo de Colombia, con 17 salas de exposición que reúnen una muestra de todas las épocas de la cultura nacional. **Derecha, arriba:** el Capitolio Nacional en la Plaza de Bolívar, uno de los lugares más importantes en el ámbito nacional. **Abajo:** la Casa de Nariño, sede de la Presidencia y de la residencia del jefe de Estado.

❖

The National Museum, the oldest in Colombia, boasts seventeen exhibition galleries representing every era in the nation's culture. **Above right:** The National Capitol in Bolívar Square, one of the most important places in the country. **Below:** Nariño Palace, headquarters of the Presidency and the residence of the Head of State.

❖

Le Musée National, le plus ancien de Colombie, avec 17 salles d'exposition qui présentent toutes les époques de la culture nationale. **À droite, en haut:** le Capitole National sur la Place Bolívar, un des lieux les plus importants sur le plan national. **À droite:** la Casa de Nariño, siège de la Présidence de la République et résidence du chef d'État.

Bogotá es una ciudad de cultura, gastronomía, comercio y negocios, entre sus museos se destaca el Museo del Oro del Banco de la República el cual encierra 50.000 objetos y piezas de oro, madera, textiles y cerámica, evidencia del pasado arqueológico y antropológico del país. **Arriba:** colgante antropomorfo de la cultura Tayrona, fabricado con la técnica de la cera perdida; La Preciosa, La Grande y La Pequeña, famosas custodias de estilo barroco, en el museo de la Catedral, y el Poporo de oro de la cultura Quimbaya. **Izquierda:** Calle de La Candelaria, típico barrio colonial en el centro de la ciudad.

❖

Bogotá is a city of culture, good food, Business and trade. The Banco de la República Gold Museum is one of the city's most important museums, and houses 50,000 objects and artefacts made of gold, wood, textiles and pottery, reminders of the country's archaeological and anthropological past. **Above:** Anthropomorphous pendant, Tayrona culture, a casting made using the lost wax method. La Preciosa, La Grande, La Pequeña: famous baroque monstrances in the Cathedral Museum and the gold Quimbaya lime container. **Left:** Street in La Candelaria, typical colonial district in the heart of the big city.

❖

Bogotá est une ville de culture, de gastronomie, de commerce et d´affaires, parmi ses musées se distingue le Musée de l'Or du Banco de la República qui renferme 50,000 objets et pièces en or, bois, textiles et céramiques, témoins du passé archéologique et anthropologique du pays. **Ci-dessus:** Pendentif antropomorphe de la culture Tayrona, fabriqué avec la technique de la cire perdue; La Preciosa, La Grande, La Pequeña, de célèbres ostensoirs baroques, au Musée de la Cathédrale, et le Poporo de oro, de la culture Quimbaya. **À gauche:** Rue de La Candelaria, quartier colonial typique dans le centre de la capitale.

Museo del Oro, Bogotá.

El crecimiento de la ciudad ha generado un importante desarrollo vial. El sistema de transporte Transmilenio agiliza el desplazamiento de pasajeros entre
puntos extremos de la ciudad en muy poco tiempo.

❖

The growth of the city has led to a number of important road develop-
ments. The Transmilenio mass transport system means passengers
can get from one end of the city to the other in a very short time.

❖

La croissance de la ville a entrainé un important développement
routier. Le Transmilenio est un système de transport collectif
reliant les extrémités de la ville permettant aux passagers de se
déplacer rapidement d´un bout à l´autre de la ville.

Izquierda: la Plaza de Toros La Santamaría, ubicada entre el conjunto arquitectónico las Torres del Parque, se reviste de etiqueta para ser el escenario de la fiesta brava entre enero y febrero. **Arriba:** parques, centros interactivos, bibliotecas, lugares recreativos, nuevos puntos de encuentro ciudadano y de recuperación del espacio público imprimen el sello al desenvolvimiento urbanístico de Bogotá.

❖

Left: Santamaría Bullring, in the Torres del Parque architectural complex, decks itself out in January and February for the bullfighting season. **Above:** Parks, interactive centres, libraries, leisure areas, new meeting points for the local people, and the regeneration of public areas are all part of Bogotá's urban development.

❖

À gauche: La Plaza de Toros La Santamaría, au pied des Torres del Parque. Elle sort son habit d´apparat pour la saison taurine de janvier à février. **Ci-dessus:** les parcs, les centres interactifs, les bibliothèques, les espaces de loisirs, de nouveaux points de rencontre des habitants et de récupération de l'espace public marquent de leurs sceaux l'essor urbain de Bogotá.

Este libro se terminó de imprimir en los talleres de

Panamericana Formas e Impresos S.A. en el mes de octubre de 2013

Asentada en un estrecho valle, Medellín, capital del departamento de Antioquia, es una ciudad en permanente desarrollo, destacada en los últimos años por su acelerado crecimiento urbanístico. El sistema de transporte masivo del metro, inaugurado en 1995, incluye una novedosa modalidad de metrocables que prestan servicio a barrios periféricos, con lo cual se ha logrado mejorar notablemente las condiciones de vida.

❖

Lying in a narrow valley, Medellín, the provincial capital of Antioquia, is a city of never-ending development, notable in recent years for its rapid urban growth. The metro mass transit system, which opened in 1995, includes a novel «Metrocable» variant which serves districts on the outskirts, thereby radically improving living conditions.

❖

Construite dans une vallée étroite, Medellin, capitale du département d'Antioquia, est une ville en constant développement qui s'est distinguée ces dernières années par sa rapide croissance urbaine. Le métro, créé en 1995, comprend un système de télécabines reliant les quartiers périphériques des hauteurs de la ville, contribuant à l´amélioration notoire des conditions de vie.